CHARADINHAS

LÍNGUA PORTUGUESA

Ciranda Cultural

LÍNGUA PORTUGUESA

1. Como se escreve "grama" usando apenas quatro letras?

2. Qual o tempo verbal cujo uso é sempre uma surpresa?

3. O que existe no meio do lápis, mas não no meio da caneta?

4. Como se diz "água gelada" com quatro letras?

5. **Que horas são quando você se acha bonito?**

6. Sou país do Oriente, com nome de duas sílabas; na primeira, sou advérbio; e na segunda, alimento. Quem sou?

7. O que tem o poço que o pescoço também tem?

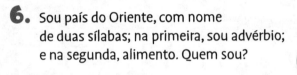

RESPOSTAS: 1. Mato. 2. O presente. 3. A letra "p". 4. Gelo. 5. A hora em que você se olha no espelho. 6. Japão. 7. A cedilha.

LÍNGUA PORTUGUESA

8. Qual palavra lembra a guerra, mas, trocando-se a primeira letra, é o símbolo da paz?

9. O que se encontra sempre no fim do túnel?

10. O que tem a sorte no meio e o azar no fim?

11. O que tem no meio do livro?

12. O que está no meio do gol?

13. O que o Demônio tem dois, o homem tem um e Deus não tem nenhum?

14. O que fica no meio da rua?

RESPOSTAS: 8. Bomba/pomba. 9. A letra "L". 10. A letra "R". 11. Letras. 12. O "o". 13. A letra "O". 14. A letra "U".

LÍNGUA PORTUGUESA

15. Se proparoxítona, sou mulher erudita; se paroxítona, sou tempo de verbo; se oxítona, uma ave. Quem eu sou?

16. O que todo nariz tem na ponta?

17. O que está acima do ônibus?

18. O que está acima do céu?

19. O que tem roda e pé?

20. Qual a letra mais distante?

21. O que não é?

RESPOSTAS: 15. Sábia, sabia, sabiá. 16. A letra "Z". 17. O acento circunflexo. 18. O acento agudo. 19. A palavra rodapé. 20. A letra "O", porque está no fim do mundo. 21. Advérbio de negação.

LÍNGUA PORTUGUESA

22. O que serve a tudo e a nada?

23. Qual é o ponto em que você para de questionar os outros por saber que agora, afinal, vão responder?

24. Qual o nome do que sobe e desce, mas sem sair do lugar?

25. Quando quarta-feira vem antes de terça-feira?

26. O que dá quando se junta o mar com ar?

27. Qual a pergunta cuja resposta é ela própria?

RESPOSTAS: 22. A letra "D". 23. O ponto de interrogação. 24. Escada. 25. Quando está no dicionário. 26. Uma rima. 27. "Tudo bem?".

LÍNGUA PORTUGUESA

28. Qual nome de mês tem oito letras, mas, se forem tiradas quatro delas, ficam sete?

29. **Como podemos escrever "menino" com apenas três letras?**

30. O que um ponto final disse para o outro?

31. Quando o mês de junho passa o de julho para trás?

32. O que toda sala de aula tem no meio?

33. Em que pé ficam as explicações do livro?

34. O que tem no meio do ovo?

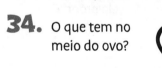

RESPOSTAS: 28. Setembro. 29. Escrevendo em inglês, "boy". 30. "Nos vemos no fim!". 31. Na ordem alfabética. 32. A preposição "de". 33. No pé da página. 34. A letra "v".

LÍNGUA PORTUGUESA

35. Com que tipo de pessoa não é preciso gastar sequer uma palavra?

36. Quando se trabalha para um gramático muito rigoroso, o que acontece quando se falta ao trabalho?

37. O que é que em Pindamonhangaba é cinco vezes maior que Itu?

38. O que se planta com a mão e se colhe com os olhos?

39. Quem faz a maior viagem no mundo das letras?

40. Por que a letra "u" se parece com o Sol?

41. Quem pôs pingo no "i"?

RESPOSTAS: 35. Com o bom entendedor, porque, para ele, meia palavra basta. 36. O gramático corta o ponto. 37. A quantidade de letras. 38. As letras. 39. O dicionário. Ele vai de A a Z. 40. Porque está no centro da luz. 41. O inventor do alfabeto.

LÍNGUA PORTUGUESA

42. Como se soletra "água dura" só com quatro letras?

43. Qual o pingo que nunca molha, mesmo quando a gente está sem guarda-chuva?

44. Na palavra "namoro", por que o N e o segundo O, apesar de separados, acham-se profundamente ligados?

45. O que sempre tem vergonha, mas também é extrovertido; não fala, mas é muito tagarela; e tem inteligência, mas é muito dado à ignorância?

46. Por que o verbo "desconhecer" não foi encontrado no dicionário?

47. Que nome se deve dar à história do automóvel?

48. Quais as vogais que não constam no alfabeto?

RESPOSTAS: 42. C-E-I-O. 43. O pingo do "i". 44. Porque existe amor entre eles. 45. O dicionário. 46. Porque era desconhecido. 47. Autobiografia. 48. "I" e "U", porque não constam na palavra alfabeto.

LÍNGUA PORTUGUESA

49. O que tem em dezembro que não existe em qualquer outro mês?

50. O que está na garganta e no nariz, e acaba com C e começa com X?

51. Quais as duas maneiras diferentes de se dizer "hoje" sem dizer "hoje"?

52. Em uma palavra, se for tirado o "I", vira um tecido; e colocando-se o "L", vira uma superfície lisa. Que palavra é?

53. Qual palavra que você usa quando se esquece da outra?

54. Qual nome de fruta cuja primeira sílaba cobre a maior parte do globo?

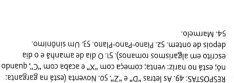

RESPOSTAS: 49. As letras "D" e "Z". 50. Noventa (está na garganta: nó; está no nariz: venta; começa com "X" e acaba com "C", quando escrito em algarismos romanos). 51. O dia de amanhã e o dia depois de ontem. 52. Plano-Pano-Plano. 53. Um sinônimo. 54. Marmelo.

LÍNGUA PORTUGUESA

55. Com acento é lento, sem acento é fedorento. O que é?

56. Qual a palavra da língua portuguesa que tem todas as vogais, em ordem alfabética?

57. Qual a melhor hora para se falar sobre tempo?

58. Uma vez num minuto, duas vezes no momento. O que é?

59. O que vem depois do "B" no alfabeto?

60. Qual o advérbio que esquenta?

61. Qual o começo de tudo?

RESPOSTAS: 55. Cágado. 56. Abetiou. 57. Agora, pois é o tempo presente. 58. A letra "M". 59. A letra "E". 60. Sobretudo. 61. A letra "T".

LÍNGUA PORTUGUESA

62. Qual a letra que, repetida, torna a pessoa infantil e carinhosa?

63. Está nas montanhas, e não nas colinas; está nas matas, mas não nos prados; está em mim, e não em você; está nos homens e em mulheres também. O que é?

64. Com R no meio se veste, com R no fim se ouve. O que é?

65. Qual a primeira coisa que você coloca no jardim?

66. O que está na terra, está no céu, mas não está no ar?

67. O que existe no meio do Sol?

68. Qual o começo do fim?

RESPOSTAS: 62. A letra "B". 63. A letra "M". 64. Terno e tenor. 65. A letra "J". 66. A letra "E". 67. A letra "O". 68. A letra "F".

LÍNGUA PORTUGUESA

69. O que tem três letras, das quais se pode tirar dois nomes de mulher e ainda sobrar cinco letras?

70. Como se escreve "pau-d'água" com quatro letras?

71. O que tanto o Céu quanto o Inferno têm no meio?

72. O que se pode acrescentar a um traje para ofendê-lo?

73. O que que somos obrigados a usar sobre o pé?

74. O que existe no meio das encruzilhadas?

75. O que tem no meio do coração?

RESPOSTAS: 69. O Ovo. Ele tem três letras, dele tiro a Clara e a Gema, e sobra a casca que tem cinco letras. 70. Remo. 71. A letra "E". 72. A sílaba "ul", assim ele vira "ultraje". 73. O acento agudo. 74. A letra "I". 75. A letra "A".

LÍNGUA PORTUGUESA

76. O que está no meio do começo; está no começo do meio; estando ambos assim, está na ponta do fim?

77. Qual a frase correta: a gema dos ovos é branca ou as gemas dos ovos são brancas?

78. Qual a palavra da língua portuguesa cujo plural termina com a Letra R?

79. Na frase "Proibido estacionar", qual o sujeito da oração?

80. O que se vê no meio da mão?

81. Qual o contrário de volátil?

RESPOSTAS: 76. A letra "M". 77. Nenhuma das duas, pois a gema é amarela. 78. Quaisquer. 79. Sujeito a guincho. 80. A letra "A", com til. 81. Vem cá, sobrinho (Volátil = Vou lá, tio).

LÍNGUA PORTUGUESA

82. À direita é um homem fácil de achar, e ao contrário, só à noite, mas nem sempre encontrará. O que é?

83. O que ninguém quer ter, e, tendo, não quer perder?

84. O que o gafanhoto traz na frente e a pulga, atrás?

85. Qual a frase que, lida de trás para frente e de frente para trás, dá na mesma frase?

86. Qual a palavra que tem oito letras e, tirando-se quatro, ainda ficam oito?

87. O que sempre fica em cima do chão?

88. Qual a palavra que tem 23 letras?

RESPOSTAS: 82. Raul e Luar. 83. Questão. 84. A sílaba "GA". 85. Socorram-me, subi no ônibus em Marrocos. 86. Biscoito. 87. O til. 88. Alfabeto.

LÍNGUA PORTUGUESA

89. O que está no começo da avenida, no meio da praça e no fim da rua?

90. O que pode acabar com qualquer coisa com apenas três letras?

91. Qual a palavra de cinco letras que se tirarmos duas letras fica uma?

92. Por que o aluno vivia com um chulé no pé esquerdo?

93. O que um homem a cavalo tem nas mãos?

94. Qual a palavra mais comprida do mundo?

RESPOSTAS: 89. A letra "A". 90. A palavra "fim". 91. Pluma. 92. Porque a mãe dele sempre falava: "Menino lava este pé direito". 93. A pá. Um homem a cavá-lo (a cavar o campo). 94. A que vem depois da frase: "E, agora, uma palavrinha do patrocinador".

LÍNGUA PORTUGUESA

95. O que em Lisboa é grande e em São Paulo é pequeno?

96. São três irmãos: o mais velho já morreu; o do meio existe; o mais moço ainda não nasceu. Qual o nome deles?

97. Qual o substantivo que é feminino, mas é do masculino?

98. Qual a palavra que tem onze letras e, tirando-se sete, ainda ficam sete?

99. Qual é o final gráfico que revigora?

100. Qual a coisa que colocamos em tudo?

RESPOSTAS: 95. O "L". 96. Passado, presente e futuro. 97. Esposa. 98. Minicassete. 99. O acento tônico. 100. Nome.